Ga
au loup !

D’abord, on joue !

Aide Alice à trouver le chemin pour aller chez sa mamie. Attention, elle ne doit pas passer devant le loup !

Bravo !

Maintenant, regarde bien tous ces dessins. Quels sont ceux dans lesquels on entend le son « ou » ?

loup

pou

fleur

arbre

pomme

doudou

hibou

chou

Chouette ! Et si on inventait des histoires rigolotes avec tous ces mots qui font « ou » ?

Ouh ! là, là ! Le loup a des poux…

Vite ! Il prend un bain de boue.

Puis il fait le fou et va manger

des choux. Hop, plus de poux !

À toi ! Invente une histoire qui fait « ou ».

Maintenant, on se détend.
Répète après moi !

ba be bi bo bu

Quel bazar !

Les mots ont été coupés.
Relie les morceaux :

	Ma -	loup
	Ma -	- ice
	Al -	- mie
	Fo -	- man
	Le	- rêt

Regarde bien l'image et découvre ce qu'Alice a mis dans son panier.

- Une galette et un petit pot de chocolat ?
- Une omelette et un petit lot d'ananas ?
- Une raclette et un petit mot de sa tata ?

Pour trouver le titre de l'histoire, utilise le code.

On se détend !

fi fa fo fou fu pffou

Quelle histoire !

 va voir sa  .

Dans son 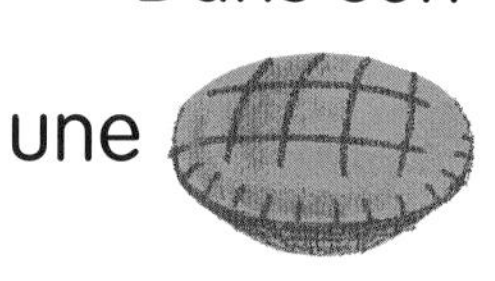 , il y a
une  et un petit CHOCOLAT .

En chemin,
elle croise le .

Ouh ! là, là ! Mais que va-t-il lui arriver ?

Et maintenant, ton histoire !

Gare au loup !

Une histoire de Christophe Loupy,
illustrée par Baptiste Amsallem.

CHOCOLAT

Aujourd'hui, Alice va voir
sa mamie. Avant de partir,
sa maman lui donne un panier.
– Voilà une galette et un petit pot
de chocolat, dit-elle. Surtout,
ne passe pas par la forêt.
C'est dangereux. Prends plutôt
le chemin des vaches.

Mais Alice n'a pas peur.
Et le chemin des vaches
est beaucoup plus long.
Alors, elle décide de passer
par la forêt.

Caché derrière un fourré, le loup **l'observe**. Ses yeux jaunes brillent d'un éclat malicieux.
Il saute au milieu du sentier et ouvre ses grands bras :

– **Halte** ! Où vas-tu comme ça ?

– Je vais chez Mamie,
répond Alice.

Le loup réfléchit un moment,
puis il dit :

– Passe plutôt par
le chemin des vaches.
C'est plus rapide.

Mais Alice sait bien que
c'est un mensonge.
– Non ! répond-elle.
Moi, je passe par la forêt !

Elle contourne le loup et continue
son chemin.
Le loup n'est pas content.
Pas content du tout.

Il court jusqu'à la maison
de la grand-mère et...
TOC ! TOC ! TOC !...
Il frappe à la porte.

Quelqu'un ouvre doucement.
C'est Mamie.

– Oui ? murmure-t-elle.

– Alice arrive !
dit le loup, affolé.
Elle n'a pas voulu
passer par le chemin
des vaches !

– Catastrophe !
s'écrie la grand-mère.
Je ne suis pas prête !

Quelques minutes plus tard, Alice arrive enfin chez sa grand-mère. C'est étrange : les volets sont fermés.

Alice entre. Tout est noir dans la maison.

Alice avance vers le salon. Dans **la pénombre,** elle aperçoit deux grands yeux jaunes. Ils brillent d'un éclat malicieux...

Soudain, la lumière s'allume et...

Mamie, le loup et tous les amis d'Alice se mettent à chanter :
– Joyeux anniversaire ! Joyeux anniversaire ! Joyeux anniversaire, Alice ! Joyeux anniversaire !

Tu as aimé ?
Oui ?
Chouette alors !
Allez, maintenant, on se détend !
Tourne la page...

Comptine

À chanter sur l'air d'*À la pêche aux moules*.

Petite Alice file, file, file
Et gare au grand méchant loup
T'arrête pas et file, file, file
C'est un gros menteur ce loup
T'arrête pas et file, file, file
C'est un gros menteur ce loup !

À bientôt !

300, rue Léon-Joulin, 31101 Toulouse Cedex 9 - France
www.editionsmilan.com
Loi 49.956 du 16.07.1949 sur les publications
destinées à la jeunesse.
Dépôt légal : 3e trimestre 2015
ISBN : 978-2-7459-7264-4
Imprimé en France par Pollina - L73609D